ardilla — árboles — cola — patas — nueces — bellotas

tronco — cabeza — corazón — conejo — lechuza — noche — plumas

ratón — rana — oso — miel — pastores — abeja — colmena

nieve — cueva — seis — hojas — cuernos — ramas

pezuñas — hierba — ciervo — cazador — loba — lobeznos

comida — colores — colibrí — flores — colmillos — pico — alas

zorro — flores — bosque — gallina — gallinero — perro

W9-BRA-453

© SUSAETA EDICIONES, S.A.
Campezo, s/n - 28022 Madrid
Tel.: 913 009 100 - Fax: 913 009 118
Impreso en la UE
www.susaeta.com
ediciones@susaeta.com

EL BOSQUE

Ilustrado por Javier Inaraja

LEO y VEO

susaeta

LA ARDILLA

A las 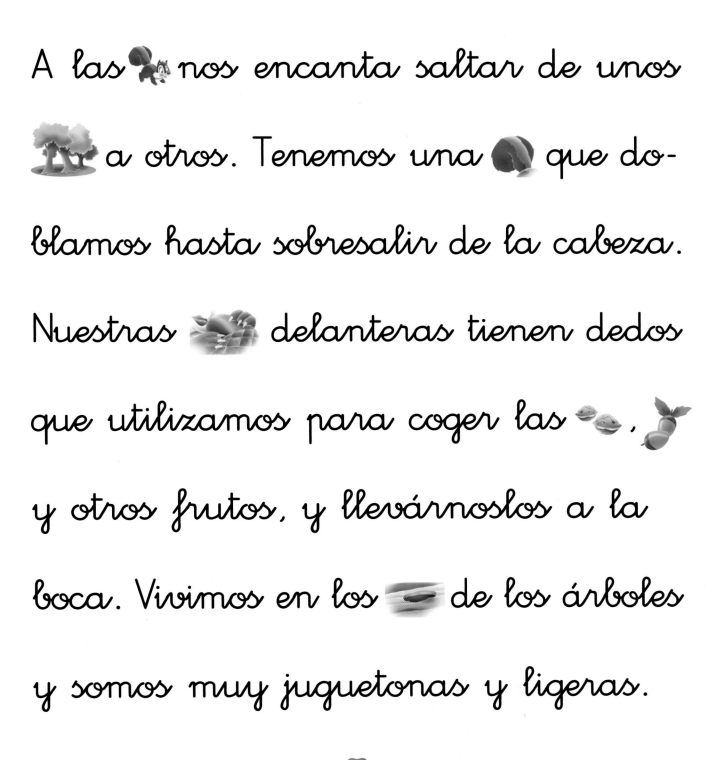nos encanta saltar de unos a otros. Tenemos una que doblamos hasta sobresalir de la cabeza.

Nuestras delanteras tienen dedos que utilizamos para coger las , y otros frutos, y llevárnoslos a la boca. Vivimos en los de los árboles y somos muy juguetonas y ligeras.

LA LECHUZA

La 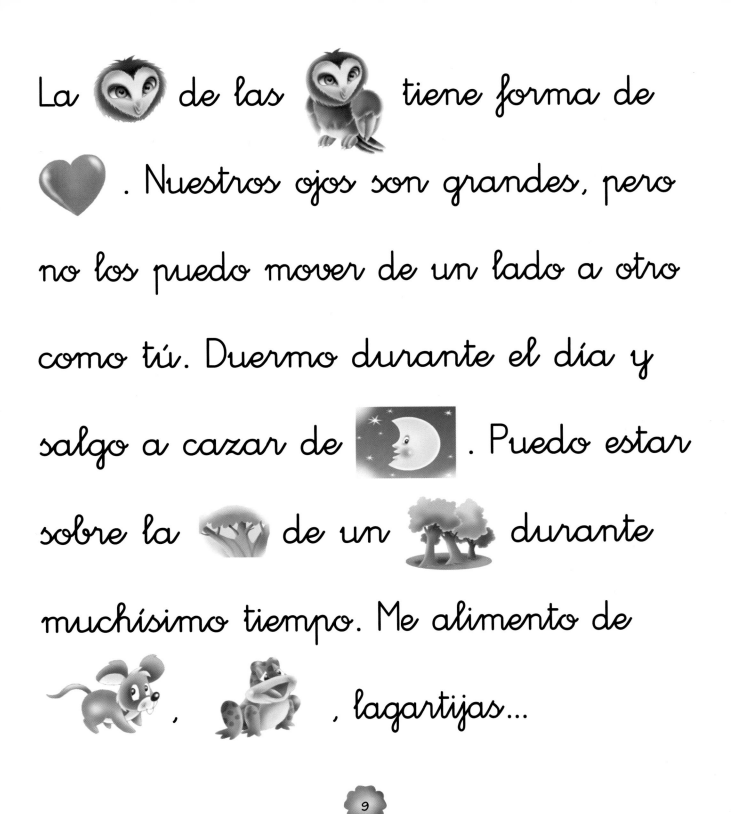 de las tiene forma de . Nuestros ojos son grandes, pero no los puedo mover de un lado a otro como tú. Duermo durante el día y salgo a cazar de . Puedo estar sobre la de un durante muchísimo tiempo. Me alimento de , , lagartijas...

EL OSO

Soy un 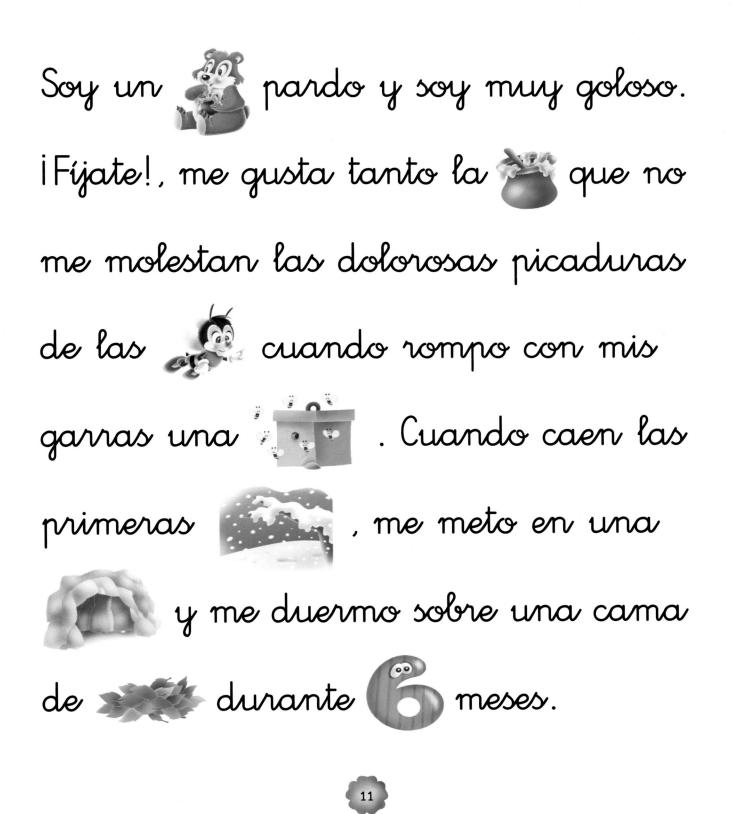 pardo y soy muy goloso.

¡Fíjate!, me gusta tanto la que no

me molestan las dolorosas picaduras

de las cuando rompo con mis

garras una . Cuando caen las

primeras , me meto en una

 y me duermo sobre una cama

de durante meses.

EL CIERVO

Cuando yo sea mayor como lo es mi papá tendré unos 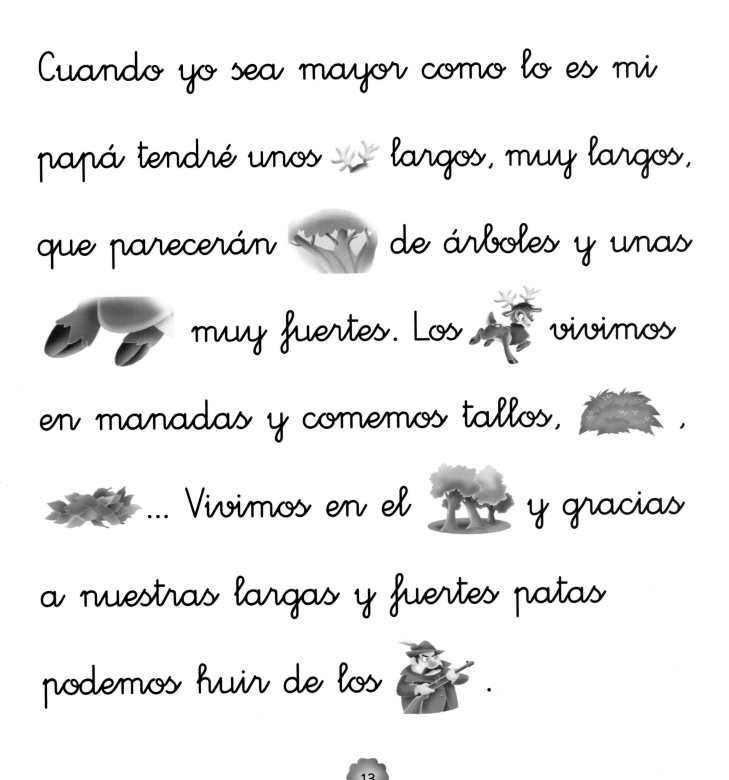 largos, muy largos, que parecerán 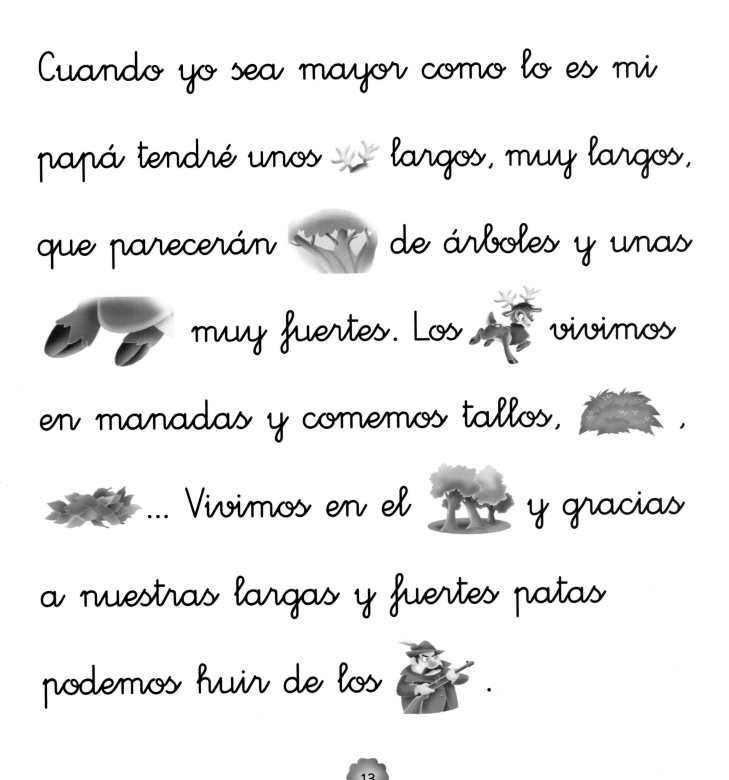 de árboles y unas 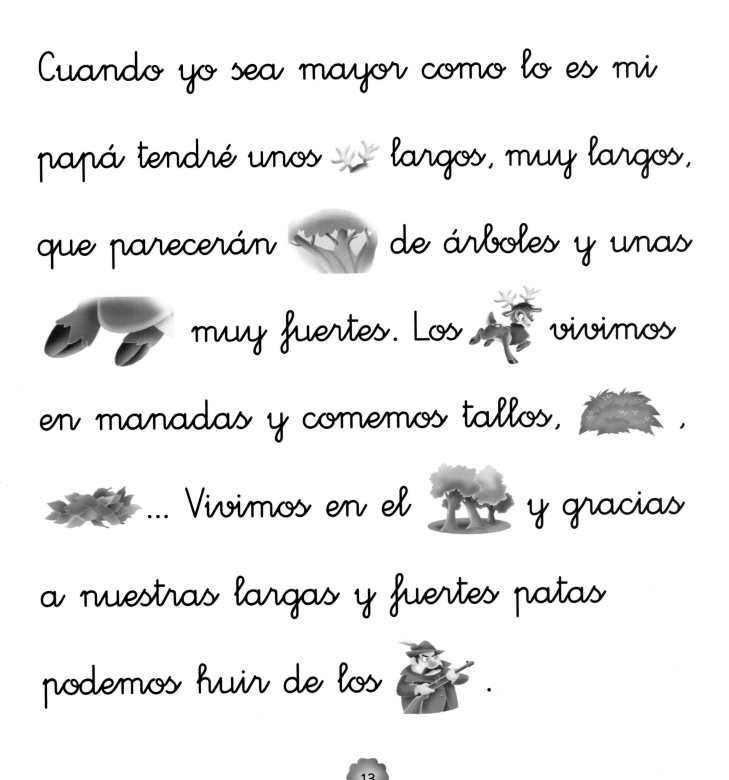 muy fuertes. Los 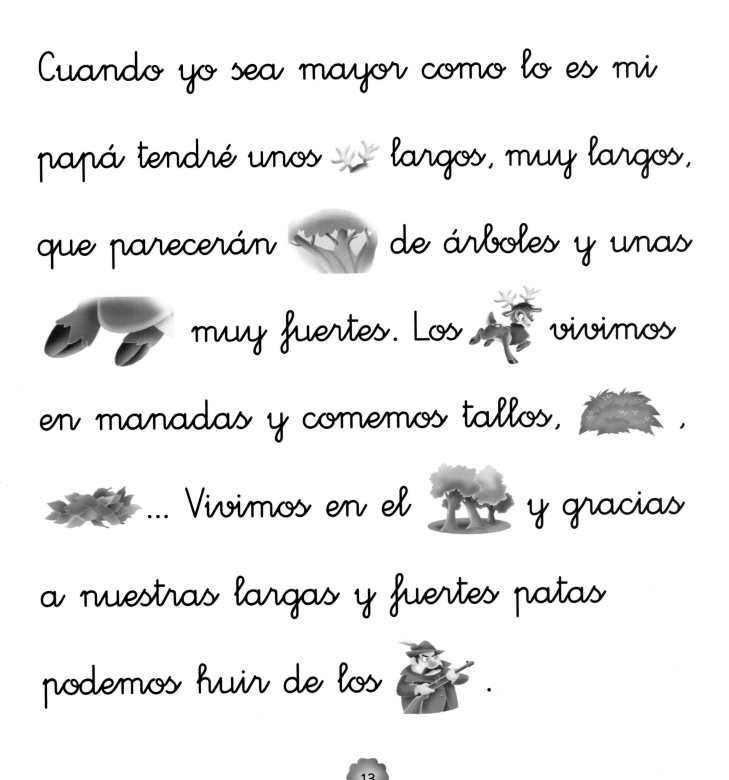 vivimos en manadas y comemos tallos, 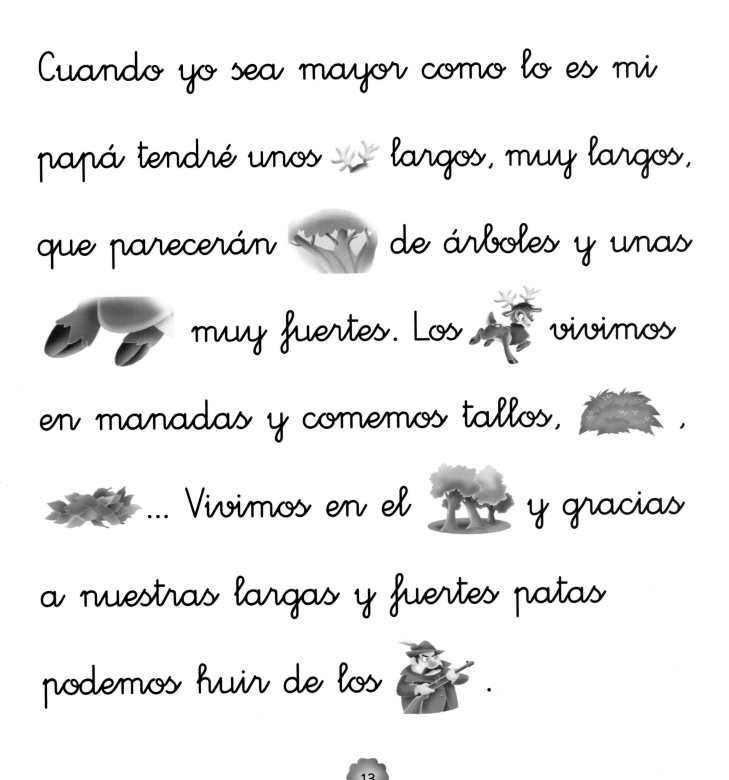 , 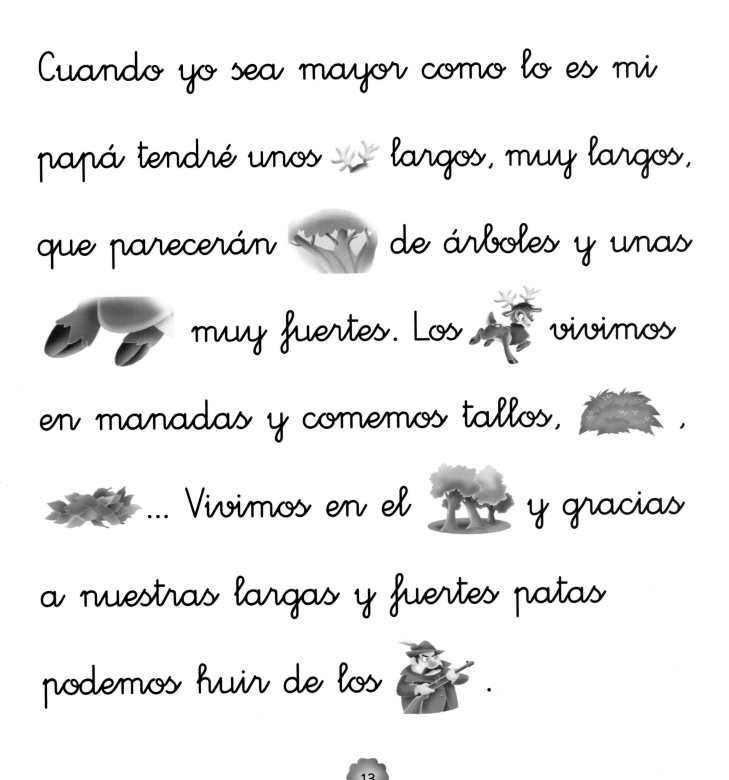 ... Vivimos en el 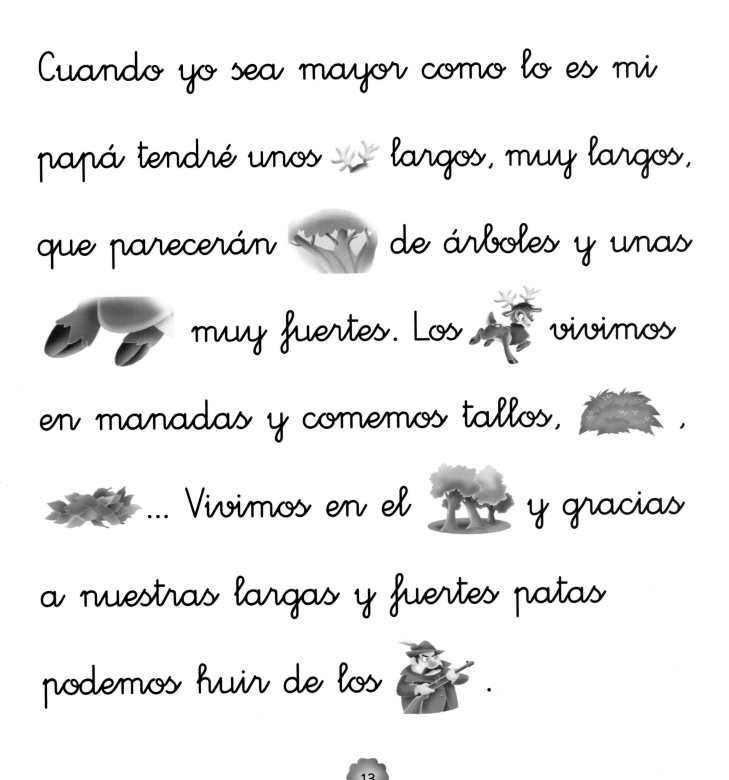 y gracias a nuestras largas y fuertes patas podemos huir de los 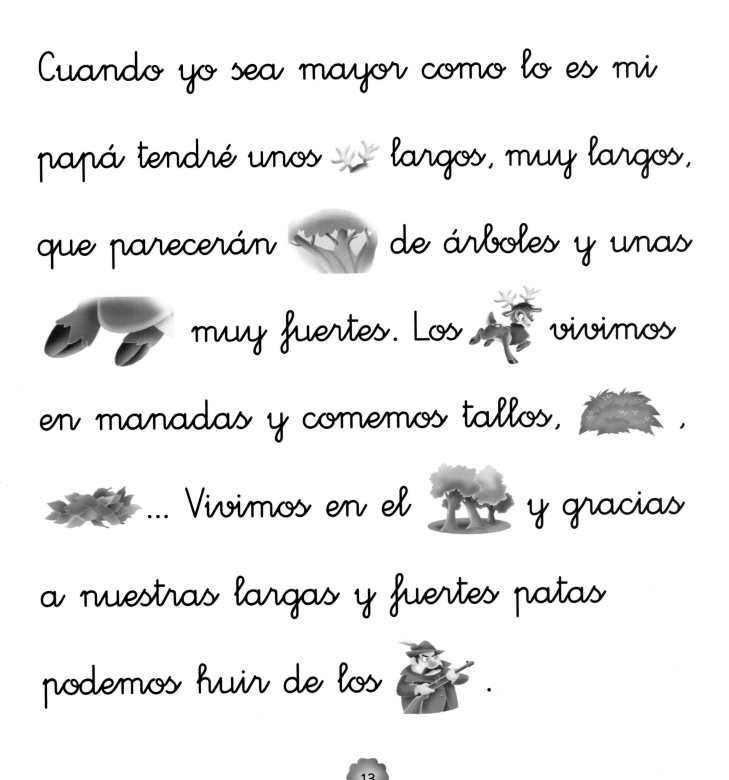 .

LA LOBA

Dicen que las  somos las mejores madres del reino animal porque no nos separamos de nuestros durante varias semanas. Cuando crezcan, les seguiré cuidando con esmero, les traeré y les protegeré de los .

Los lobos tenemos una mandíbula fuerte, con muy afilados.

EL COLIBRÍ

Los 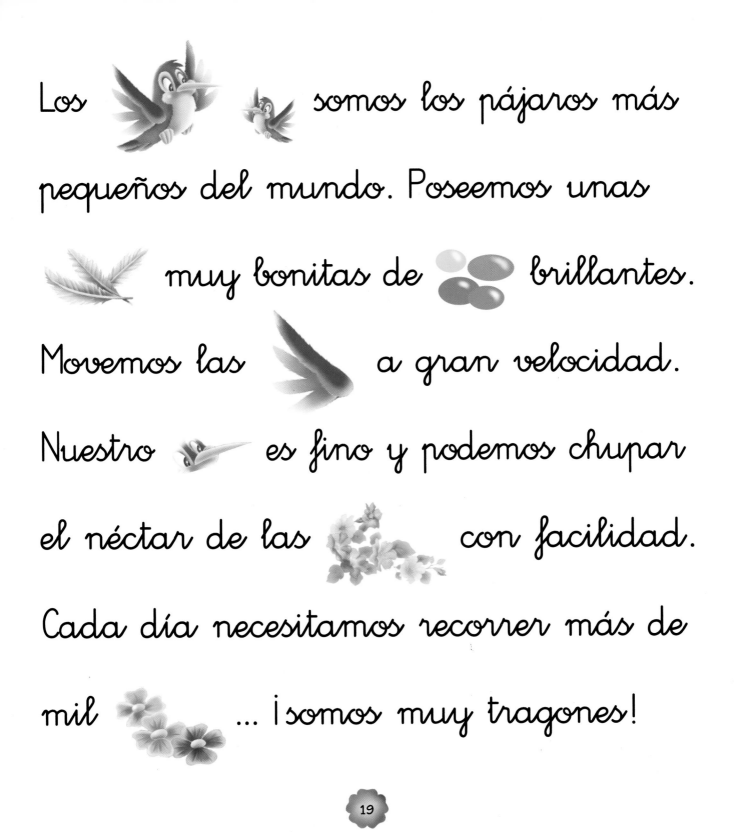 somos los pájaros más pequeños del mundo. Poseemos unas muy bonitas de brillantes. Movemos las a gran velocidad. Nuestro es fino y podemos chupar el néctar de las con facilidad. Cada día necesitamos recorrer más de mil ... ¡somos muy tragones!

EL ZORRO

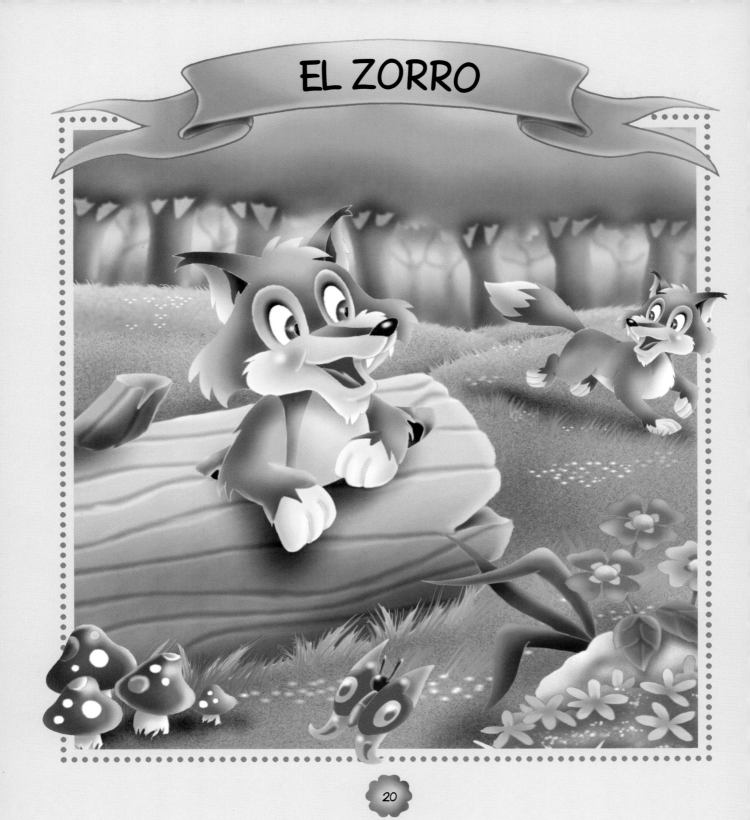

Soy el  y tengo fama de astuto.

Vivo en el y duermo en algún

caído. Como y de vez

en cuando me acerco a un

y me llevo alguna , por eso los

no me pueden ni ver. Soy muy

veloz y gracias a eso puedo escapar

de mi mayor enemigo, el .

ardilla	árboles	cola	patas	nueces	bellotas
tronco	cabeza	corazón	conejo	lechuza	noche	plumas
ratón	rana	oso	miel	pastores	abeja	colmena
nieve	cueva	seis	hojas	cuernos	ramas
pezuñas	hierba	ciervo	cazador	loba	lobeznos
comida	colores	colibrí	flores	colmillos	pico	alas
zorro	flores	bosque	gallina	gallinero	perro